ARCO

John

ARCO

John
Julia de Souza

© Editora Âyiné, 2023
Todos os direitos reservados

Edição:
Sofia Mariutti

Preparação:
Giovani T. Kurz

Revisão:
Andrea Stahel
Livia Azevedo Lima

Projeto gráfico:
Federico Barbon Studio

Produção gráfica:
Daniella Domingues

Fotografia do miolo:
Henry Uniacke

ISBN: 978-65-5998-132-8

Âyiné

Direção editorial:
Pedro Fonseca

Coordenação editorial:
Luísa Rabello
Sofia Mariutti

Direção de arte:
Daniella Domingues

Coordenação de comunicação:
Clara Dias

Assistência de design:
Rita Davis

Conselho editorial:
Simone Cristoforetti
Zuane Fabbris
Lucas Mendes

Praça Carlos Chagas, 49 — 2° andar
30170-140 Belo Horizonte — MG
+55 31 3291-4164
www.ayine.com.br
info@ayine.com.br

Julia de Souza
John

Âyiné

*Se há algum substituto do amor,
esse substituto é a memória.*

George Steiner

*Wait Mister. Which way is home?
They turned the light out
and the dark is moving in the corner.*

Anne Sexton

Bolso da camisa

No bolso da camisa — para ele uma camisa sem bolso era uma coisa inútil — meu pai levava sempre uma caneta-lapiseira, um lenço de pano e um pequeno pente.

Sua memória, sobretudo para nomes de pessoas, nunca foi muito boa. Lembro de, em algumas ocasiões, encontrarmos por acaso algum conhecido seu, e ele me perguntar: «Como chama mesmo esse aí?». Chegava a desviar de pessoas em espaços públicos, comentando comigo: «Não quero que tal pessoa me veja, sei que a conheço mas não faço ideia de onde nem do seu nome».

Talvez por isso tenha sido difícil identificar o início de sua doença. Meu pai sempre foi velho, até mesmo para minha mãe: quando se conheceram, ela tinha vinte e quatro, e ele, cinquenta e quatro.

Ao perceber que sua memória estava falhando mais do que era costume, incluiu no bolso, entre os objetos de sempre, um pedaço de papel, estreito e comprido, que continha informações manuscritas: números de telefone, endereços, datas importantes, senhas. Tomamos isso como um movimento natural, afinal ele estava mesmo envelhecendo, era normal que a memória piorasse e muito saudável que ele se prevenisse com aquelas anotações, já que sempre se negou a ter um celular. Não por ser inapto para a tecnologia, muito pelo contrário — era consumidor ávido dos dispositivos fotográficos mais recentes e usava a internet com muita facilidade —, mas porque, segundo ele, o aparelho tolheria sua liberdade.

Identificação

Assistíamos à televisão, ele e eu. Algum canal de notícias mostrava imagens recentes de Maradona. Meu pai deu risada, apontou para a tevê e disse: «Olha lá, o Barack Obama!». O mesmo aconteceu em duas ocasiões em que o jardineiro — um homem branco, baixo, gordo e de bigodes fartos — trabalhava no nosso quintal. «Olha lá, o Barack Obama», meu pai disse, ao vê-lo pela janela. E ele ria, e eu também ria, embora tentasse dissuadi-lo com delicadeza de seu engano. Creio que sua obsessão com Obama surgiu durante a campanha presidencial e o início do primeiro mandato do presidente norte-americano, época em que os noticiários internacionais, dos quais meu pai era um espectador inveterado, não se cansavam de replicar a figura do democrata. Me pergunto o quanto sua fixação por Obama estava ligada, mesmo que inconscientemente, à importância simbólica e ao impacto causado pela eleição do primeiro presidente negro dos Estados Unidos, ou se era mero efeito da veiculação excessiva de sua imagem nos jornais.

Hospital I

Depois de um infarto, John passou por uma grande cirurgia no coração. Quando saiu da UTI e foi para o quarto, apresentou pela primeira vez sinais de desorientação mais grave. Perguntamos se sabia onde estava. «No hospital.» E em que cidade? Não soube dizer se estávamos na Inglaterra, em Portugal, ou no Brasil.

Ao acordar, numa manhã, contou ter visto uma mulher muito bonita, que veio à noite, trajando um vestido branco. Disse que era sua mãe.

Frio

Quando deixou de ler com fluência, John passava muito tempo folheando revistas e livros de fotografia. Sua imensa coleção da *National Geographic* americana saiu enfim do fundo do armário. Um dia, depois do jantar, olhávamos juntos uma edição que trazia fotos do Polo Norte. Meu amigo Pedro estava com a gente, e meu pai parecia querer se exibir para ele de alguma forma. Disse: «eu já fui ao Polo Norte. Não faz tanto frio». Senti que ele estava convicto do que dizia. Ou talvez estivesse livre das reservas morais que freiam nosso impulso de mentir.

A fantasia de ter ido ao Polo Norte me remete à história de seu avô paterno, que sonhava em ver a Aurora Boreal, mas morreu durante a viagem de navio, antes de chegar à Finlândia.

Penso nas viagens que meu pai gostaria de ter feito e não fez. Penso na vontade que ele expressou de voltar a viver na Inglaterra.

Ritmo

O contato com o mundo se transforma radicalmente à medida que as linguagens oral e escrita minguam. Os gestos ganham importância, as expressões do rosto se amplificam e tendem às caretas.

Pouco a pouco, John foi perdendo o interesse pelos noticiários — não conseguia mais absorver a verborragia, a rapidez e o excesso de informação da mídia.

Mas sua relação com a música não apenas se mantinha, como se tornava mais intensa. Passava muito tempo assistindo a DVDs musicais — concertos, documentários, shows, óperas — e seus pés invariavelmente marcavam o ritmo da música com muita precisão. Às vezes, fechava os olhos e balançava a cabeça, parecendo esquecer as coisas do mundo e se lançar numa fruição plena de um presente tão vibrante quanto impalpável.

Velocidade

Sonho que ele dirige o automóvel na estrada em alta velocidade, como costumava fazer. Era um motorista habilidoso e se gabava disso. Nas viagens em família para a praia, quando nos dividíamos em dois carros, eu sempre escolhia ir com ele, e me segurava no banco num misto de gozo e pavor com a corrida — o vento que inundava meu rosto só se interrompia quando fechávamos a janela para ouvir as músicas que eu orgulhosamente escolhia, tentando impressioná-lo.

    Quando foi proibido de dirigir, sentiu grande revolta. Era preciso esconder as chaves, e ele passava muito tempo esbravejando, aos berros, dentro do carro que volta e meia ficava aberto dentro da garagem.

Memória

Logo que se aposentou da universidade, começou uma nova empreitada: construir uma árvore genealógica da família — nasceu na Inglaterra, e a família materna é inglesa, mas seu pai era português, daí o seu nome tão quase brasileiro: John Manuel de Souza.

Passava dias inteiros na frente do computador, consultando sites de pesquisa genealógica e se correspondendo com parentes próximos ou distantes em busca de pistas que o levavam para um tempo cada vez mais distante. Viajou a Portugal para encontrar parentes e especialistas a fim de trocar informações sobre suas linhagens. Desenvolveu um método de registro no Excel que permitia a expansão infinita dos ramos da árvore: uma espécie de topografia dos múltiplos caminhos que levam a um passado sem fim.

Em certo momento, talvez sentindo que a busca se esgarçava — chegou a comentar que sua árvore chegara a Carlos Magno —, passou à pesquisa iconográfica. Ilustrava o mapa com imagens dos antepassados encontradas na internet: Rainha Fredegunda, Dom Afonso III, Duquesa da Borgonha. Imprimia os retratos na impressora de casa e mandava enquadrá-los em baratas molduras ornamentadas, como se quisesse realçar o caráter passadista daqueles pequenos quadros. O resultado foi quase uma centena de quadrinhos que ele pregava inadvertidamente por toda a casa. Um dia entrei no meu quarto e lá estava Branca de Castela, vestindo um manto violeta sobre a minha cabeceira.

Em seu esforço delirante, ao encher a casa com imagens do passado, meu pai confiava à solidez das paredes uma memória e um senso de origem que intuía estar prestes a perder.

Casa

Quando John deixou de morar nela, a casa ganhou um caráter fantasmagórico. Permanecia, mas não vigorava. Mantinha-se de pé, mas como uma espécie de holograma de algo que já havia sido.

Talvez pela dureza de habitar um espaço que já era dele muito antes da nossa chegada — e que era repleto de móveis que vieram de sua antiga fábrica, objetos de decoração que ele trouxe de viagens, quadros que comprou, o cavalinho de madeira e a coleção de patos de porcelana, de gosto tão britânico —, minha mãe passou a fazer mudanças na disposição dos móveis, dos quadros, das fotografias. Foi, provavelmente, um esforço para driblar o sofrimento de não conseguir fugir de sua memória. Mas também uma tentativa, que hoje considero justa, de se apropriar desse espaço da casa, uma casa em que ele já vivia muito tempo antes de ela chegar, mas que agora era totalmente gerida por ela.

Eu, que sempre fui conservadora em relação à casa (me lembro da minha tristeza adolescente quando resolveram substituir o brim azul esgarçado dos almofadões da sala por um outro tecido bordô), reagi furiosamente às mudanças empreendidas pela minha mãe: remoções, apagamentos e deslocamentos que tomei como uma adulteração da memória de John, uma traição aos seus desejos. A casa, a pequena topografia da casa, era o que restava dele, embora seja impossível restaurar a casa autêntica.

Tempo

Escrevo este texto sobretudo de forma retroativa. Durante os dez anos da sua doença, com exceção dos seus últimos dias em que ficou hospitalizado, não fiz nenhuma anotação organizada de seus sintomas, das situações que eles provocavam ou da minha reação emocional diante dessa perda lenta e progressiva.

Penso nos tempos desta narrativa cindida. Enquanto para mim só os seus momentos finais puderam ser registrados no presente, para ele o passado, o início da vida — a vitória da língua materna, o desamparo infantil, o descontrole, o gemido e não a palavra — foi o que se impôs, sorrateiramente. A demência é uma espécie de vingança do passado, ou um acerto de contas com a natureza: se em algum momento acreditamos ter nos diferenciado do selvagem, a demência, indomesticável como uma erva daninha, chega para afrontar qualquer ideia de autodeterminação humana.

Hospital II

Naquela que seria sua última passagem por um hospital, John foi internado por causa de uma pneumonia, e só então me dei conta de que seu corpo estava no auge da fragilidade. Quando entrei para vê-lo na UTI, me assustei com sua magreza. Tinha perdido muito peso, já não conseguia mastigar, e mesmo a alimentação pastosa havia sido suspensa — a pneumonia fora causada pela aspiração de alguma comida. Além disso, como já não andava havia mais de dois anos, sua massa muscular era praticamente nula. Acho que nunca tinha visto a esqualidez tão de perto. Lembrei das imagens de crianças famélicas que passavam na televisão e assombravam minha infância durante os anos 1990.

Não há conteúdo

John se recuperou rapidamente da infecção pulmonar e saiu da UTI. No quarto do hospital, minha mãe, meu irmão e eu nos revezávamos. Meu turno era o das 16h às 21h.

Ele passava a maior parte do tempo de olhos fechados, mas gemia e tossia bastante. Quando abria os olhos, fixava o olhar em alguém e assim se mantinha por muito tempo. Era um olhar profundamente vazio, lavado, que talvez pudesse receber tudo, abarcar tudo — e, eu sentia com aflição, engolir tudo, me engolir.

As enfermeiras eram todas muito simpáticas e falavam com ele efusivamente. Faziam graça, tratavam-no um pouco como um bebê, e eu não via mal nenhum nisso. Não sei se por cansaço ou algum senso de respeito ou transigência, tinha dificuldade de romper seu silêncio, de reagir a seus movimentos e raras expressões, embutir sentidos no que talvez fosse apenas um corpo capaz de reflexos involuntários. Mas também capaz de dor — John, apesar de tudo, ainda gemia. Mas um corpo em agonia não se rende a nenhuma interpretação.

Hospital III

Um dia, as enfermeiras vieram pesá-lo. Para pacientes acamados, há uma impressionante balança apelidada de «girafa». Trata-se de uma espécie de guindaste: o corpo é preso em alças de tecido firme e em seguida suspenso no ar pelo longo pescoço da máquina. Foi difícil encarar a cena. A imagem de meu pai pendurado, erguido por um aparato tão mais nutrido do que ele, fez lembrar um títere: um corpo, a manipulação de um corpo.

Latência

Encontro pessoas que me cumprimentam e, embora me lembre de seus rostos, não sei de onde as conheço e tampouco sei seus nomes. No carnaval, uma moça me aborda efusivamente, e não sinto familiaridade com sua fisionomia. Outra mulher, que encontro vez ou outra, sempre me chama de «Ju», com uma intimidade que me constrange, pois eu sei que já a conheci, conheço, mas não sei de onde e, o pior, não tenho a menor ideia de seu nome. Lembro do meu pai passar por isso diversas vezes — numa exposição bem cheia na Pinacoteca, ao ver uma mulher se aproximar, me disse: «Ela vai me cumprimentar, mas não me lembro de quem ela é. Me ajude». Eu também não sabia.

Como nunca casei e estou cada vez mais convicta de que não vou ter filhos, faço meu melhor amigo me prometer que vai pagar pela minha internação em um asilo quando eu chegar a esse estado. Ele concorda, «É claro, temos um trato»; damos risada, a realização desse plano parece improvável, e, no entanto, nossa ligação de toda uma vida me traz alguma confiança. Mas e se ele não estiver vivo ou lúcido quando eu chegar a esse deserto?

Cabecinha

Minha primeira crise foi em 2001, quando eu tinha catorze anos e fumei mais maconha do que estava habituada. O resultado foi uma viagem psicodélica que até hoje tenho como meu pior pesadelo, porque provocou distorções da visão e alucinações táteis assustadoras que ficaram inscritas na minha memória para sempre, a ponto de me ocorrer revivê-las ligeiramente quando lembro daquela tarde decisiva.

A novela começa ali: um psiquiatra que receita um antidepressivo cujo efeito foi catastrófico; um psicanalista quatrocentão e influente que me indica a leitura de *Minha vida de menina* e diz que tudo aquilo é coisa da minha «cabecinha». Estava certo o calhorda que subestimou a complexidade que a experiência de uma adolescente pode alcançar. Era a minha cabeça, é sempre a minha cabeça que deturpa as coisas e a mim mesma.

Ainda que eu sempre tenha mantido a consciência de que as sensações lisérgicas eram apenas sensações, elas perduraram, e esse episódio de descolamento do mundo acarretou crises de pânico, sintomas dissociativos agudos e depressão profunda. E, se uns bons meses depois, aos quinze anos, eu me sentia finalmente curada, descobriria rapidamente que esse estado de desespero, exílio e estranhamento voltaria a me sequestrar muitas vezes ao longo da década seguinte, e além dela; e que a indeterminação, o vácuo e a cisão não apenas se repetiam, mas se sofisticavam a cada crise, como se a loucura também fosse uma espécie de expertise.

Meu pai assistiu a esse processo surpreendente e assustador com um desespero mudo. A formação apolínea e austera de quem cresceu durante a Segunda Guerra — no interior da Inglaterra e em uma família cindida — garantiu seu ceticismo em relação à psicanálise. E o senso de resistência de quem, décadas depois, ficou encarcerado por um ano como preso político em São Paulo também não admitia as facilidades da psiquiatria como tratamento aceitável. Por que sua primogênita querida, bonita e até então sociável, cujo futuro ele supunha garantido, não tinha recursos internos para atravessar um susto a seco, com a dignidade estoica que deveria ter herdado ou desenvolvido depois de anos frequentando uma ótima escola e recebendo todos os privilégios recreativos que uma família da elite paulistana pôde oferecer?

Teve, no entanto (e felizmente, penso hoje), que aceitar os enormes dispêndios financeiros e a frustração moral que meus tratamentos psicanalíticos e farmacêuticos acarretaram. Minha mãe, que já tinha vivido sua cota de buracos emocionais, foi firme e essencial para que eu atravessasse esses períodos de névoa existencial, apagamento e aflição profunda.

Segundo ela, a agonia que meu pai sofreu durante minhas crises foi inédita. Com ele nunca pude, ou nunca fui capaz de sequer tentar dividir o tipo de angústia que me paralisava. Só me lembro de meu sofrimento ser tão arrebatador a ponto de não conseguir escondê-lo de John, mesmo sabendo que aquilo frustrava todos os seus bem erigidos ideais de temperança.

Na mesa de jantar, quando eu apoiava o rosto na mesa, sem apetite e sem forças, ele me repreendia com indignação: não era aceitável arruinar a refeição dos outros com a minha loucura particular.

Retorno

Meu pai está de volta. Suas faculdades mentais também, ainda que não por completo. Se comporta como quem está voltando para o mundo depois de anos de encarceramento, ou como quem acorda de um longo coma.

Está na Inglaterra, e nos comunicamos precariamente pelo Facebook, onde ele publica fotos da viagem: com minhas primas, com muitos cachorros, nos bancos de jardim ingleses.

Depois está outra vez aqui em casa, e, quando me dou conta do disparate de tê-lo de volta de corpo presente, converso com minha mãe: ele tinha morrido, mas não de fato. Seu corpo se reanimara logo antes de ser enterrado? (Na realidade, ele foi cremado, me lembro durante o sonho.) Não sabíamos ao certo, mas ele estava de volta, muito frágil e, no entanto, vivo. Minha mãe dizia que isso era uma coisa muito boa, e eu sentia o mesmo, como se todos tivéssemos uma nova chance. Mas me preocupo com o seguinte: o que faríamos quando ele de fato morresse, ou morresse novamente? Ele era, naquela situação, um cidadão fantasma, clandestino, que já não devia existir. Fico aflita ao cogitar que as autoridades, quando notificadas dessa segunda morte, nos acusariam de um golpe. Mas minha mãe diz apenas: quando ele morrer, vou procurar «o pessoal da Ilha do Cardoso» — como quem insinua que por lá se pudesse desovar o corpo do meu pai de forma insuspeita.

Nunca fomos juntos à Ilha do Cardoso. Mas meu pai certamente gostaria de ter conhecido os plânctons daqueles mares.

Breakfast of champions

Era uma criatura de hábitos. Seu café da manhã era o mesmo todos os dias: uma fatia de pão preto do tipo alemão com geleia de laranja e duas fatias de queijo prato; leite com Nescafé solúvel e, para encerrar, metade de um mamão papaia. Depois do café, se trancava por uma hora no banheiro, acompanhado do jornal do dia. Cortava sempre a própria barba com a mesma tesoura de cabo azul-marinho, que temos até hoje. Usava talco Granado em vez de desodorante, sabonete para lavar os cabelos, e não xampu. Em sua defesa, insistia que a necessidade desses produtos especializados (condicionador para cabelos lisos, creme de barbear, sabonete íntimo, amaciante de roupas etc.) era criada artificialmente pelo mercado, e que nos cabia resistir a ela — e essa talvez fosse sua crítica mais veemente ao capitalismo, ao menos no período em que convivemos. Suas roupas duravam décadas, e tinha um único terno, provavelmente adquirido nos anos 1970, como denunciavam as barras levemente boca de sino da calça. Era um terno de veludo cotelê gasto e de cor ocre que causava arrepios em minha mãe. As gravatas, para ele, eram não só dispensáveis como absurdas. Por muitos anos teimava em usar cuecas no lugar da sunga ou calção de banho, o que talvez fosse uma herança dos tempos de solteirice que viveu durante a liberação sexual dos anos 1970, resquício do frisson de alguma contracultura que ele chegou a experimentar.

    As sandálias de couro de estilo grego esperavam no armário as raras ocasiões em que ele as vestia em São Paulo: e, quando o fazia, se saíssemos em público em um desses dias, eu percebia os olhares masculinos, percebia os homens de mocassim ou sapato social encarando meu pai com estranheza, em uma mistura de sarro e desconcerto. Era um estrangeiro. E era um velho estranho.

Carimbo

Escrevo estas páginas muito espaçada e lentamente, sempre partindo de anotações e lembranças esparsas, e de alguma forma postergando a transposição de tais ideias avulsas num texto corrido. Ao contrário da escrita de poesia ou de crítica literária, aqui parece haver um risco imenso de que cada frase estampada se cristalize sem possibilidade de retorno. Quando o que está em jogo — como motivo e método — é a memória, me aflige a hipótese de carimbá-la de forma incontornável ou definitiva: cada linha escrita é também o apagamento de uma outra rememoração possível, de um outro viés ou versão do resgate e comentário do passado. Escrever essas memórias também pode ser condená-las a uma rigidez (no registro literário, no meu registro mnemônico).

Torre

É sobretudo difícil pensar no asilo. Sim, vamos chamar aquela casa de repouso, ou aquela clínica, pelo nome adequado: asilo.

Por motivos financeiros, não pudemos oferecer a meu pai um «residencial sênior de alto padrão». O lugar em que o internamos é muito simpático até a segunda página — ou até o primeiro andar.

A instituição ocupa um grande terreno na Vila Sônia, zona oeste de São Paulo. No térreo, o cenário é quase apaziguador: o pavimento de pedra é contornado por um jardim florido por onde ciscam galinhas e galos — haveria também um pavão?, me pergunto agora.

Os pacientes se dividem entre dois edifícios: o primeiro, uma casa térrea, é reservado àqueles que sofrem de males psíquicos — autistas, esquizofrênicos e afins. O segundo, com três andares, é habitado pelos pacientes senis. Há nele uma hierarquia, no entanto, da qual fomos tomando conhecimento aos poucos: quanto mais alto o andar, mais grave a situação do interno. (Não sei precisar quais eram os requisitos que orientavam a promoção gradual de cada paciente, mas John certamente cumpriu-os todos — se não me engano, antes de morrer, já havia chegado ao topo da torre.)

Ali, recebia os cuidados especializados de enfermeiras, médicos e fisioterapeutas, cuidados que não pareciam impedir seu definhamento galopante. Quando havia alguém para escorá-lo, dava alguns passos pelo quintal. O ambiente interno era quase tão asséptico e estéril quanto o de um hospital, só que mais triste, porque ali não havia nenhuma perspectiva de recuperação dos pacientes.

Meu pai fazia cinco refeições diárias, era higienizado com uma frequência aparentemente aceitável e recebia a medicação indicada para a contenção do avanço de seus males — cardíacos, dermatológicos (as fraldas causam assaduras terríveis) e sobretudo neurológicos. Havia uma sala de estar que cheirava a urina e desinfetante. Sobre o chão de azulejos brancos, dispunham-se cerca de vinte poltronas que, distribuídas por três paredes, formavam uma espécie de semicírculo. Na quarta parede, uma televisão ficava ligada o dia todo em alto volume na Rede Globo ou no SBT, transmitindo preferencialmente programas infantis. Meu pai e os demais idosos — mulheres, em sua maioria — pareciam indiferentes às imagens exibidas. Alguns olhavam para o chão. Outros repetiam motes angustiados. Em uma de minhas visitas, uma senhora com sotaque carregado, sentada à minha esquerda, gritou: *Me leva daqui!* Intrigada, eu perguntei: A senhora não é brasileira? *Não, sou romena. Da Romênia. Me leva daqui?*, ela insistiu, me encarando com olhos aflitos, sequestradores (não tinha sobrancelhas). Estava amarrada à poltrona por uma cinta elástica. Perguntei à enfermeira se podia fazer alguma coisa. Não, é assim mesmo. *Todo dia a mesma coisa.*

Não me deixe agora

Leio o *Diário de luto*, de Roland Barthes, com um misto de identificação e repulsa. Barthes tinha sessenta e dois anos quando sua mãe morreu, e a languidez com que ele encara esse luto me incomoda, me soa autocomplacente — seu Édipo não se constrange —, infantilizada ou até algo maníaca: «É, aqui, o começo solene do grande, do longo luto».

Por outro lado, desconfio que eu esteja fazendo o mesmo: forjo alguma sobriedade, visto este luto arrastado de um discurso pausado e analítico, tento atestar a relevância da vida de John e das minhas reflexões em torno dela — mas o que está por trás destes escritos é, talvez, uma obsessão um tanto patética e enfadonha.

Afinal, a quem interessa o luto do outro? Tem importância coletiva o luto por uma morte localizada, pontual — um luto que é, no limite, burguês, de caráter privado? Por que esse luto, e não outros, é digno de nota?

Ainda que eu queira acreditar que toda morte possa ter, se esticarmos a corda, um traço coletivo, os poemas que escrevi sucessivamente no confronto com a minha perda já não bastaram (a mim, aos outros)? Perco a elegância ao me permitir a extensão deste luto? Perco a elegância ao escrever no presente, como fez Barthes em seu diário?

Trinta e dois dentes

Suas demandas — e, sobretudo, a forma de expressá-las — foram se tornando cada vez mais infantis. Como que do dia para a noite, tornou-se incapaz de escovar os dentes sozinho. Tinha a arcada estreita, como a minha, e por isso sempre manteve algumas ferramentas ortodônticas no armarinho do banheiro: aqueles apetrechos metálicos e pontudos, com o cabo longo o suficiente para alcançar os restos de alimento no fundo da boca.

Um dia, porém, depois do almoço, armou-se do fio dental e, no espelho que fica na saída escura do lavabo, tentou arrancar o que deveriam ser fiapos de carne presos entre os dentes. Sem sucesso, ficou subitamente irado: «*I want to go to the dentist!*», urrava repetidas vezes, como uma criança malcriada. Minha mãe tentou ajudar, orientando-o, talvez até arriscando realizar ela mesma a manobra. Mas o desespero não deu trégua. Restava, portanto, ligar para o dentista — que, por sorte, é um amigo da família cujo consultório não estava longe. E lá foram eles, aliviar a boca do meu pai dos resquícios do almoço.

O episódio se repetiu muitas vezes, e não me lembro bem como essa mania do meu pai foi superada. Talvez aquilo que lhe aniquilava a linguagem tenha também exterminado — pelo nome — certas aflições.

O que pode esta língua

Era muito rígido em relação à língua, aos usos da língua. Entendia a gramática do português em detalhes. Dizia que, quando chegou ao Brasil, com dezessete anos, sem nenhum conhecimento do português, uma vez decidido a ficar, resolveu que, antes de prestar o vestibular ou até mesmo tentar se expressar na língua local — que era também a língua de seu pai —, deveria aprendê-la à perfeição. Passou meses estudando, enclausurado, acredito que com a ajuda de algum professor, e só entrou na universidade Mackenzie, em São Paulo, para estudar engenharia, quando se considerou fluente.

O fato é que, se meu pai falhava nas tentativas de me ensinar matemática, ele oferecia, por outro lado, explicações muito claras das regras do português. Quando colocado diante de um problema gramatical, sua desenvoltura para explaná-lo parecia quase inata.

Os efeitos adversos dessa familiaridade com uma língua que nem sequer era sua foram a implicância e o preciosismo. Repreendia a nossa fala, acusando os tristes vícios de elocução de que padecíamos. A interjeição «tipo» era sua maior fonte de revolta: tratava-se, segundo ele, de um recurso emburrecedor, uma muleta que visava apenas adiar a elaboração consistente do discurso — e sobretudo evitar a demanda estratégica das orações subordinadas.

Detestava o termo «final de semana» — se me lembro bem, simplesmente por considerá-lo feio, preferindo «fim de semana». Talvez porque, em inglês, se usa «weekend», e não algo como «weekending».

O trejeito «sei lá», por sua vez, soava muito desrespeitoso, em todas as suas modalidades de uso. Expressava descaso, e por isso meu pai se enfurecia quando um de nós dizia algo tão corriqueiro como: «Ah, sei lá, achei o gosto estranho». Em inglês, se diz «who knows» (quem sabe) ao final de algumas frases, mas me parece que sempre com um sentido interrogativo, quase meditativo. Terminar uma frase com «who knows», diferente de iniciá-la como um «sei lá», é um convite à especulação — uma especialidade do meu pai.

Percebo que, ao escrever, adoto um estilo um pouco elevado, e me pergunto se não estou tentando escrever um livro que meu pai, antes de qualquer um, gostaria de ler. Tinha um temperamento um tanto iluminista, e nossos jantares em família eram muitas vezes interrompidos por consultas à *Enciclopédia Britânica*. Nos meus anos escolares, me ajudava com as lições de gramática e se debatia tentando infundir-me algum entendimento da matemática e da física, disciplinas para as quais nunca tive nenhuma aptidão.

Antes que seu português começasse a se esvair, já se notavam certas mudanças em seu vocabulário. Dava mostras de não ter mais o pudor ou o escrúpulo de sempre, e passou, de quando em quando, a usar palavras ou expressões chulas que em geral ele calaria. Em uma noite, depois que uma velha amiga sua a quem demos carona saiu do carro, meu pai caiu na risada, quase descontrolado, e disse: «Naquela época, ela dava pra todo mundo!».

Percebemos que estava esquecendo o português quando ele começou a responder a certas perguntas em inglês. Durante algum tempo, se comunicou alternadamente nas duas línguas, e talvez então ainda não tivéssemos a clareza de que, numa ou noutra, sua sintaxe e vocabulário se empobreciam.

Nessa oscilação entre língua materna e língua adquirida e predominante em seu ambiente, chegou a fundi-las, criando vocábulos de natureza mista. Forjou, por exemplo, o verbo «peear» — «Preciso peear», dizia, quando se levantava da poltrona um pouco encabulado enquanto assistíamos tevê.

Vício

Estou, neste momento, prestes a terminar a leitura de *O jardim dos Finzi-Contini*, de Giorgio Bassani. O romance, que não deixa de ser uma espécie de réquiem — uma descrição em retrocesso dos passos que levaram a Itália e a Europa aos horrores do nazifascismo, articulada à memória de um amor de juventude malfadado —, traz raras frases de efeito (pelas quais, admito, tenho uma queda, por mais duvidosas que me pareçam). O enlutado busca sempre o aforismo, naquilo que ele tem de circular, viciado ou especular? A força e a própria natureza do aforismo talvez residam no fato de que ele corrobora um sentimento ou uma ideia de quem o lê. O aforismo tende ao ponto final — ou aos inícios mais duvidáveis.

Pesquei na narrativa algumas passagens que chegaram a me constranger pela ressonância que produziram em mim. Ainda que o romance se fundamente na importância da construção da memória, sobretudo aquelas produzidas em tempos de exceção, Bassani, por meio de suas personagens, acusa os perigos da nostalgia: «para mim, não menos que para ela, mais que o presente, o que contava era o passado, mais que a posse, o recordar-se dela [...] Este era o nosso vício: seguir em frente com a cabeça sempre virada para trás».

A princípio, nada explicitamente negativo desponta da descrição desse comportamento retroativo. Mas um bom livro tem suas artimanhas, e, muitas vezes, se armarmos uma ponte entre trechos separados por dezenas de páginas, revela-se que o narrador já sabia do próprio vício: «*Non mi lasciare ancora, soffrenza*», dizia um verso de Ungaretti lembrado na página 126 do mesmo livro de Bassani — *Não me deixe ainda, sofrimento*.

Pesquisa

Nunca comunicamos diretamente a John que ele tinha Alzheimer — ou «demência», como soubemos mais tarde que era seu diagnóstico, um diagnóstico mais aberto e de nome mais degradante.

 Não foi uma decisão deliberada, mas uma postura assumida por nós de forma bastante espontânea e tácita. Talvez por termos percebido como ele sofria ao se dar conta de sua debilidade, e como ficou deprimido quando perdeu a autonomia e qualquer projeção de futuro, tomamos a decisão, possivelmente covarde ou condescendente, de preservá-lo da fatalidade de um diagnóstico que acreditamos que ele já nem fosse capaz de compreender. E logo ele, que dedicou boa parte da vida a estudar o funcionamento do sistema cognitivo e neurológico dos seres vivos — mais precisamente, das abelhas, essa espécie que, agora descubro, é fundamental à preservação dos biomas de todo o mundo.

 Seu objeto de estudo central era a visão das abelhas. Até pouco tempo atrás eu não sabia como ele tinha chegado a esse pormenor, ou por quê. Lembro de como insistia que eu não tivesse medo delas — e, em casa, ele se deliciava com um pequeno ninho funicular de abelhas miúdas e sem ferrão que apareciam nos dias quentes. «Não fazem nada», ele dizia, e olhava para elas com um sorriso que jamais dedicou a um cão.

Abelhas

Quando eu tinha sete anos, a professora da minha turma nos incumbiu da seguinte tarefa: fazer uma pesquisa sobre algum animal. Nós, então, pequenos seres recém-alfabetizados, nos sentamos em roda no chão e, um a um, comunicamos em voz alta nosso bicho escolhido. Não era permitido repetir o animal já escolhido pelo colega. Naquele momento, me lembro bem, eu já estava bastante desconcertada. Não sabia, ou não sabia com suficiente exatidão, o que era uma pesquisa. Sabia que meu pai era um cientista, e que a pesquisa fazia parte do seu trabalho. Mas eu, que me orgulhava de saber escrever a palavra paralelepípedo na lousa, me vi totalmente sem recursos diante do termo pesquisa, tão menos concreto que um calçamento de pedras retangulares. Quando chegou a minha vez, o urso — animal de que eu mais gostava — já havia sido escolhido. Hesitei, me senti encurralada, e então disse: *abelha*.

Meus pais contaram que cheguei em casa em prantos: o que era, afinal, uma pesquisa? Como praticá-la? Qual deveria ser o seu resultado? De que forma apresentá-la? Hoje penso que a professora, de quem eu não gostava, foi muito pouco clara quando delegou a tarefa. E não sei se meus colegas se angustiaram tanto quanto eu naquele e nos dias que se seguiram. Esse pavor de não estar à altura de um trabalho — não ser capaz de fazer jus a um objeto de apreciação, não conseguir desancorar a escrita — me acompanha até hoje.

Para meus pais, ficou evidente que a escolha da abelha havia sido uma maneira de garantir uma fonte confiável de informações — afinal, o inseto era o objeto de trabalho de John. Talvez, penso hoje, minha decisão também indicasse um desejo de me aproximar dele, de abordá-lo — ou até mesmo de encurralá-lo pela responsabilidade de me introduzir aos seus bichos queridos e à prática da pesquisa.

Mas foi minha mãe, educadora que mais tarde também se tornaria pesquisadora, quem teve um papel crucial no processo de me tranquilizar, amenizar meu desamparo e me explicar em que consistia o tal bicho de sete cabeças.

Em um fim de semana de sol, fomos, então, toda a família, à Cidade das Abelhas, um apiário e museu em Embu das Artes, onde ficava uma gigantesca abelha artificial na qual se podia entrar para conhecer os sistemas que regem e integram seu corpo. Conhecemos também as colmeias e me assustei com os apicultores que, vestidos como astronautas, manipulavam sem medo os favos repletos de abelhas ainda coladas no mel.

Acredito que meu pai tenha me mostrado livros, enciclopédias, me ajudado a coletar imagens e palavras que dessem conta da descrição de uma abelha — imagino que da abelha rajada de preto e amarelo, aquela que habita o imaginário comum. Falamos sobre a organização social de uma colmeia, falamos de hierarquias e trabalho. Lembro, no entanto, de ele não facilitar minha compreensão, dizendo que não há *uma* abelha, mas muitas. Me introduzia ao conceito de *classificação*.

A coleta e, sobretudo, o registro de dados, que compõem etapas essenciais à pesquisa, não deixam de ser uma construção de memória — a memória dos seres e objetos que já passaram por este mundo e que, como tudo o que é matéria, sempre correm o risco de desaparecer.

Textura

Lidei por muito tempo com a vontade temerosa de acessar a forma da consciência demente do meu pai. Restariam lampejos, gostos, tridimensionalidades ou cheiros, ainda que sem «conteúdo», sem palavras ou significados correspondentes? Restariam essas cicatrizes do humano, ou o que meu pai vivia era o presente puro, a sensorialidade pura — a pele que recebe o vento, o cheiro da gasolina que entra pelas narinas sem provocar nenhum eco na consciência e logo se dissipa para não deixar rastro?

O que havia em sua cabeça? Se fechava os olhos, ou quando sonhava, visitava um mundo figurativo? Revia o rosto da mãe, o mar, a vela do seu windsurfe, uma fruta madura, seu quarto, sua primeira namorada, seu país? Ou ali só circulavam coisas informes como a textura dos pesadelos, lampejos do nada, delírios febris, talvez como ocorra na consciência porosa e supostamente inédita dos bebês?

Em suas *Notas e projetos para o grande vidro*, Marcel Duchamp esboçou a seguinte situação hipotética: «Perder a possibilidade de reconhecer dois objetos semelhantes — duas cores, duas rendas, dois chapéus, duas formas —, chegar à Impossibilidade de memória visual suficiente, transferir de um objeto semelhante para outro a marca da Memória. Mesma possibilidade com sons; com fatos cerebrais».

Em seu artigo «Ars Oblivionalis», o ensaísta norte-americano Lewis Hyde destaca a reação de John Cage à anotação de Duchamp:

> [...] Em uma entrevista de 1984, Cage observou que, para ele, repetir uma frase na música o direciona «para o meu gosto e memória», exatamente aquilo de que ele queria «se livrar». Ele então repetiu a «bela declaração» de Duchamp sobre a impressão da

memória, explicando que, do «ponto de vista visual» de Duchamp, isso significava «olhar para uma garrafa de Coca-Cola sem a sensação de que você já tenha visto uma antes, como se estivesse olhando para ela pela primeira vez. É isso que eu gostaria de encontrar com sons — tocá-los e ouvi-los como se você nunca os tivesse ouvido antes».

No campo das teorias e práticas artísticas e filosóficas, há portanto um elogio a essa *falha no reconhecimento*, uma celebração daquilo que a debilidade da memória pode produzir — o desconhecido, a estranheza desestabilizadora diante do ineditismo de um som, um objeto, um cheiro. Compreendo esse elogio ao vigor estético da falta de memória; mas tendo a acreditar que, no pensamento de Cage e Duchamp, ela não é só idealizada como também se furta à experiência real do demente — que, na maioria das vezes, é incapaz de se entusiasmar com a reiterada novidade de uma garrafa de Coca-Cola.

Em uma de suas anotações, Darwin escreveu que o pensamento é «uma secreção do cérebro». Que tipo de secreção resulta do cérebro de um demente? Um cérebro que se esqueceu da língua é capaz de gerar pensamento sólido, operar como uma glândula produtiva, ou consome-se a si mesmo, neutralizando qualquer substância excedente? Ou quem sabe, como me sugeriu minha amiga Laura, seja mais adequado pensar em todo cérebro — ou em toda consciência — como uma espécie de colmeia: uma estrutura esburacada que produz uma secreção nutritiva, mas sobretudo recebe o que está fora — o pólen e suas portadoras, as abelhas.

Chumbo

John falava pouco dos tempos de prisão. Sei que passou um ano no presídio Tiradentes, entre 1970 e 1971. Consultando os arquivos do *Diário Oficial*, descubro que ele e sua primeira esposa Maria do Carmo foram enquadrados por suposta associação à Vanguarda Popular Revolucionária (VPR). À época, meu pai era professor da faculdade de arquitetura da USP, onde ensinava mecânica de solos, e ela dava aulas na faculdade de sociologia e política da mesma universidade.

Meu pai e Maria do Carmo abrigavam jovens guerrilheiros que estavam sendo perseguidos, e, certa vez, John jogou no rio Pinheiros o revólver de um foragido. Anos depois, um colega de escola me abordou dizendo ser o filho do dono do revólver, que está vivo até hoje. Mas o que levou John e Maria do Carmo à prisão foi um automóvel abandonado na frente do prédio deles, carregado com armas e munições. Era o carro do irmão de Maria do Carmo, que o havia largado na rua antes de fugir. Os militares ligaram os pontos, e invadiram o apartamento do casal. Meu pai estava em casa e foi rendido pelos policiais, que esperaram pela chegada da Maria do Carmo, para levá-la também ao Dops.

O casamento do meu pai e Maria do Carmo terminou depois da prisão. John foi protegido pela embaixada britânica e, por isso, não sofreu tortura. Já ela, que era brasileira, não teve a mesma sorte. Os dois seguiram amigos até a morte dela, mas aparentemente alguma coisa se rompeu pela discrepância entre as formas de violência que cada um dos dois sofreu naquele período.

John ficou detido na cela número 4 do presídio Tiradentes, conhecida como a «Cela dos Lordes» — onde também esteve preso, por dois anos, o sociólogo Caio Prado

Jr., além do célebre advogado Antonio Expedito Perera, o «Chacal brasileiro», que, originariamente católico fervoroso e anticomunista, acabou por defender os membros da VPR, sofreu tortura e, mais tarde, assumiu outra identidade para tornar-se uma espécie de gângster internacional.

«Precisava fazer algo de útil na prisão», contava meu pai, «e tinha um francês na cela vizinha, então resolvi aprender francês.» O tal francês, que durante a Segunda Guerra liderou a resistência ao nazismo em Lyon, mas não escapou da perseguição política no Brasil, acabaria se tornando meu padrinho, quinze anos mais tarde. Eram inseparáveis, Jacques e John — mas com ressalvas ideológicas que avultavam ano após ano. Até o fim da vida, Jacques seguiu defendendo valores da esquerda. Nos anos da abertura, os dois participaram da fundação do Partido dos Trabalhadores, cada um à sua maneira. Mas acredito que meu pai, ainda que pouco depois tenha integrado com orgulho a prefeitura de Luiza Erundina, talvez nunca tenha se filiado ao partido. À medida que eu crescia, John passou a apoiar candidatos do PSDB, o que rendeu discussões acaloradas com seus amigos e com a minha mãe, que sempre foi de esquerda.

As pesquisas que fiz em torno do período dos anos de chumbo revelam alguns pormenores. Mas, no fundo, muito se resume a uma anedota que meu pai gostava de contar: um companheiro de cela teria escrito um romance sobre a experiência de preso político. No livro, o personagem do meu pai se chama «John-Eu-Não-Sou-Daqui».

O cinismo que o apelido sugere faz e não faz jus ao John que conheci e de quem ouvi dizer. Ele não se omitiu quando o obscurantismo e a violência de Estado exigiram que se escolhesse um dos lados da moeda. Mas muitas vezes, em discussões intensas sobre um filme, uma nova lei, um livro, ou uma manchete de jornal, esse cinismo aflorava e meu pai assumia uma postura tão provocadora quanto esquiva: tinha gosto pelo questionamento, pelo cisma, a ponto de contestar o que ele mesmo acabara de dizer só para aquecer o pingue-pongue do debate.

Todos os insetos

Embora tenha passado a primeira metade da vida trabalhando com engenharia ou lecionando na mesma área, John se aposentou como professor do departamento de Psicologia Experimental da USP. O processo que o levou da mecânica dos solos e até a visão das abelhas foi mais impetuoso do que lógico.

Enquanto dava aulas na engenharia, John era sócio da fábrica de móveis Mobilinea. Com a prisão e o divórcio, tudo saiu do eixo. John vendeu sua parte da sociedade e, por causa da reforma universitária e do período que passou no presídio Tiradentes, perdeu o cargo de professor. No final dos anos 1970, inspirado por uma namorada psicóloga, começou a se interessar por psicologia. A princípio, cogitou se embrenhar na psicologia social. Mas, quando conheceu Dora Ventura, uma jovem professora do departamento de Psicologia Experimental da USP que estudava a visão dos insetos, ficou instigado. Na época, Dora tocava um estudo que se baseava na comparação entre os insetos de visão rápida e os de visão lenta. A visão rápida seria como a nossa visão diurna, e a lenta, como a nossa visão noturna. Dora e seus colegas estavam estudando formigas de diferentes espécies, em experimentos que captavam a resposta eletrofisiológica da retina do inseto a um flash de luz. Depois de ouvi-la descrever a pesquisa, John disse que, como engenheiro, poderia contribuir, inclusive na elaboração dos equipamentos laboratoriais. Dora perguntou quando ele queria começar. Ele respondeu: «Amanhã!».

Na trilha das formigas, vieram as abelhas, insetos de sua predileção. Pesquisando o Lattes, encontro o título de sua tese de doutorado: «Processamento neural do primeiro gânglio óptico da abelha». Quantos gânglios ópticos terá uma abelha?

Nos anos que antecederam a venda da casa, ainda que as pequenas abelhas sem ferrão seguissem vivas, fomos surpreendidos por uma grande invasão de abelhas africanas, que apareciam sempre à noite, furiosas, onde quer que houvesse uma luz acesa.

Língua dormente

Na última crise grave que tive — a mais grave de todas —, a memória e as competências linguísticas do meu pai já estavam bastante deterioradas. Antes do tombo, eu tinha vinte e seis anos e gozava, creio, do auge da minha capacidade de articulação intelectual. Tinha sido aceita no mestrado, participava ativa e eloquentemente do grupo de estudos tocado por meu orientador e estava, pela primeira vez, de fato envolvida (de forma amadora, mas apaixonada) com o movimento estudantil. A produtividade, a euforia, a assertividade e a segurança que eu experimentei naquele período eram inéditas. Mas em algum momento o brilho deu lugar à ansiedade, ao desconforto e a uma irritação aguda. Tive uma gripe estranha, ou uma infecção forte. Fraquejei, escapei da roldana, e então fui sugada por um redemoinho de hipocondria delirante, aflição extrema, obsessão. Depois do pico de desespero maníaco, veio a depressão profunda, com requintes de psicose. Pouco a pouco, os limites que me diferenciavam do mundo se extinguiram. Um dia, à beira da piscina da fazenda de uma amiga, senti que minha pele e as lajotas terracota eram feitas do mesmo tecido: havia continuidade e não limites entre mim e aquele piso áspero.

A partir daí, todo o acervo de códigos jamais forjados e transmitidos pelo que chamamos de civilização — das palavras e placas de trânsito à distinção entre céu e ar — tornou-se estranho para mim, como se o indispensável prisma da convenção (da linguagem) estivesse dilacerado. Meus olhos não só viam, mas eram *invadidos* por um mundo profundamente abstrato, impronunciável. E eu sabia de tudo isso, sabia que estava à margem do «tecido de signos» que é a vida, como a definiu Barthes. Eu tinha perdido alguma senha muito elementar, e temia jamais recuperá-la. «Estou ficando louca. Sou louca, eu repetia. Não sou mais eu mesma.» Eu sabia que o mundo ainda era o mesmo — mas a minha capacidade de metabolizá-lo estava destruída. E então, sem saber se o nada era tudo ou o tudo era nada, vivendo a anulação de um corpo e de uma voz que eu sabia que eram meus, mas não reconhecia ou suportava, emudeci.

Não sei quanto tempo fiquei sem falar, mas lembro bem da teoria da minha então analista sobre aquela mudez: eu estaria, segundo ela, me lançando na direção do extravio da língua vivido pelo meu pai, de uma língua que minguava, que já podia ter se apagado, e da qual talvez só restassem espasmos involuntários, fantasmagóricos, retroativos. Uma *língua negativa*.

De certa forma, e apenas no que diz respeito à vocalização, à expressão oral das ideias, sinto que nunca me recuperei plenamente dessa crise. Tendo a lapsos de paralisia no meio da fala, tenho brancos de alguns segundos, gaguejo, cometo gafes e as palavras certas desaparecem na hora H. Não muito tempo atrás, quando fui tomada por mais um mal-estar psíquico, a falha da linguagem oral se manifestou de um jeito cômico: era noite de Ano-Novo e alguns jovens estavam soltando fogos na praia muito perto de mim e dos meus amigos. Então eu disse, meio assustada: «Acho que isso está ficando *perigado*». Acho que ninguém ouviu. Hoje prefiro ficar, de todo modo, exilada na escrita.

Minha capacidade de memória também saiu bastante castigada, sobretudo a memória textual: muitas vezes não me lembro precisamente o que dizia um artigo que li no dia anterior. Ou, ainda: me vem à mente uma ideia, uma imagem, uma hipótese, um verso. Conheço mal e mal sua composição, sinto a sua textura, algum teor, e então lembro de uma palavra crucial e tudo parece mais palpável. Ainda assim, demoro algum tempo para localizar de que forma esse fragmento chegou a mim, quem o escreveu, em que ano, em que livro… ah, sim!, foi neste aqui, que está bem à minha frente, pois foi lido há poucos dias, me dou conta, num misto de alívio e desespero.

    Passei a anotar ou grifar tudo o que me chama a atenção quando leio. Ainda não sei avaliar se esse hábito obsessivo opera a favor da sedimentação das memórias ou se simplesmente aprofunda minha predisposição ao fragmento, ao capricho de saber de tudo apenas uma parte.

Golpe

Depois de receber uma carta de sua irmã Juana (minha *auntie* Juana, sua irmã mais próxima), John ficou extremamente atordoado — reconhecia o valor daquela correspondência, mas percebeu que não sabia como, que *não conseguia* respondê-la: o pensamento rarefeito já carregara consigo as mãos, e as mãos afrouxavam no toque da caneta — tinha dificuldade até em assinar o próprio nome, e seus cheques voltavam. Diante daquela aflição, resolvi ajudar. O que você quer dizer a ela?, perguntei. *Não sei* — frase exemplar da fuga de ideias, da exaustão da linguagem que constitui a demência. Frase que ele repetiu à exaustão, como as crianças que insistem em perguntar «Por quê?» durante a primeira infância.

A solução era ser protocolar: olá, estou bem, tenho feito isso e aquilo, aqui o tempo está bom. Cabia a mim dar as coordenadas dessa resposta, para que ele a reproduzisse a duras penas, esgarçando a comunicação já débil entre a cabeça e as mãos. Resolvi, no entanto, escolher um poema para ele copiar na carta — por algum motivo, isso me pareceu uma violação menos cruel de seu desejo, afinal John sempre soube ser sagaz, até em assuntos triviais; uma resposta a sua amada irmã, ainda que já não pudesse ser sagaz, tampouco poderia ser trivial. Subi ao meu quarto e procurei na estante uma antologia surrada de poemas de William Blake. Foi uma espécie de lampejo: o poema que meu pai copiaria, com suas mãos quase animais, não seria «The Tyger»; eu não faria meu pai reproduzir a pergunta sobre a criação assombrosa de um animal prodígio: «*What imortal hand or eye,/ Could frame thy fearful symmetry*» — «Que olho imortal, que mão poderia/ Te moldar a feroz simetria?»

Escolhi, em vez disso, «Little Lamb»: também uma pergunta sobre o mistério da gênese, mas desta vez a de um ser desamparado em sua involuntária docilidade.

Naquele momento preciso, não pensei no Cordeiro de Deus, que elimina o pecado do mundo. Não pensei no sacrifício; pensei só no filhote de ovelha que, em suas peles algodoadas, não se pergunta nada. Pensei em um filhote de ovelha sobre cuja origem, existência e morte *alguém* (e não ele) *se pergunta*. «I a child, and Thou a lamb» — «Tu, cordeirinho, e eu, menino».

Minha escolha aparentemente espontânea por tal poema — que foi enfim copiado com muita dificuldade por John — era sintomática de uma vontade de contemplar signos afetivos de sua história. Minha tia Juana criava ovelhas — ou talvez apenas dividisse o pasto que cercava sua pequena casa nos confins de Somerset, no sudoeste inglês, com um vizinho que mantinha alguns poucos carneiros. De todo modo, visitar Juana significa estar perto de ovelhas. Minha *auntie* Juana, além disso, gostava de poesia, ao contrário do meu pai, que sempre disse não a compreender e, no limite, considerá-la enfadonha.

É evidente que, em larga medida, preguei uma peça em John: eu, que já me entendia poeta àquela altura e sabia que era tarde demais para que meu pai lesse o que eu escrevia, fiz com que ele replicasse de próprio punho, e talvez inadvertidamente, um poema — não um poema meu, mas um poema escolhido por mim. Nesse gesto enviesado, terei obrigado meu pai a algum pequeno sacrifício? Terei sorrido ao ver o meu trabalho — o trabalho que lhe impus?

Corpo

Uma faixa suportava o queixo. Tive a sensação de que, se eu o tocasse, ele reagiria sob o lençol azulado. Pele fria, a pele fria que todos tememos. Alguém nos perguntou se era aquela a roupa com que seria velado. Dissemos que sim. Ele estava vestindo uma velha camisa xadrez, que tinha, é claro, um bolso do lado direito. Me incomodei com o que as enfermeiras do asilo fizeram de sua barba, que pela vida toda ele cultivou com esmero e vaidade. Só conheci meu pai imberbe por meio de algumas fotos de juventude. Tinha o queixo partido — que foi herdado pelo meu irmão. Na nossa infância, ele gostava de uma brincadeira curiosa: alisava a própria barba e nos perguntava: «quer um pelo branco ou preto?». E arrancava, sem se olhar no espelho, um pelo de uma cor ou da outra, para nos presentear com aquela que tínhamos escolhido. Não me lembro de ele ter perdido o desafio que lançava a nós e a si mesmo — aparentemente, um homem que tem orgulho da própria barba conhece bem a disposição de seus pelos.

Minha mãe decidiu que o caixão ficaria fechado durante o velório. Eu concordei; era uma tentativa de preservar sua imagem vigorosa do passado. «Seus setenta anos em cima de um windsurfe», escreveu minha primeira amiga, Joana, ao lembrar dos últimos anos do meu pai com saúde. Outro amigo me escreve: «Foi a vez do corpo».

Vésperas

Retomo agora algumas anotações que fiz pouco antes de sua morte:

Saiu hoje do hospital e voltou para o asilo. Fui com ele na ambulância, no banco do passageiro, o que foi menos excitante do que eu imaginava.
As enfermeiras da clínica, que gostam muito dele, o receberam com sorrisos e carinho. «Está com muito melhor aspecto, que bom!»

*

Os pulmões pioraram outra vez. Está recebendo oxigênio e morfina continuamente. Não quisemos levá-lo de volta ao hospital, pensando em seu conforto, sua familiaridade com a clínica onde vive há quatro anos, mas também, o que me traz certa culpa, no nosso conforto. Estamos cansados.

As gralhas abandonam a colônia

A casa foi vendida, mas ainda estamos aqui. Faz seis anos que meu pai morreu, e dez anos que não pisa na casa. Temos um mês para entregá-la aos novos moradores — um jovem casal que espera seu quarto filho.

A mudança não será simples: a casa é grande e começou a ser habitada por minha família há exatos cinquenta anos. Primeiro pelo meu pai, que a comprou em 1971, pouco depois de sair da prisão. Durante quinze anos, ela foi partilhada com amigos e também palco de festas que, segundo relatos, eram memoráveis. Em 1985, chegou a minha mãe e, com ela, viemos eu e meu irmão.

Uma casa é feita de acúmulos voluntários e acidentais, ainda que tentemos periodicamente nos desfazer do que não nos serve mais, daquilo que nossas mãos não procuram, não alcançam há tempos. Diante da mudança iminente, o que mais me apavora neste acúmulo de décadas são os papéis; não tanto as páginas dos livros, pois os livros têm capas, cores, títulos, autores e marcações (ou a ausência total de marcas de manuseio, revelando uma falta de interesse crônica pelo objeto) que nos auxiliam na decisão de dispensá-los ou não. Me preocupam mais os papéis soltos, armazenados de forma desordenada ou estrategicamente escondidos da vista — os papéis postergados: documentos, cartas, jornais velhos, rascunhos, cadernos e diários antigos que muitas vezes provocam constrangimentos e que devemos, agora, decidir se arrastamos conosco por mais uma temporada.

Minha mãe, acometida por uma ansiedade quase maníaca neste período de preparação da mudança, começou a se embrenhar no caldo infindo de papéis armazenados no armário que ficava ao lado de sua mesa de trabalho — mesa que havia sido do meu pai em seus anos produtivos.

Um pouco eufórica, ela desceu a escada e me entregou um maço de folhas sulfite grampeadas. Na primeira página, lê-se: «POEMS – BY MURIEL UNIACKE». Demorei alguns segundos para me dar conta do peso daquele achado. Muriel era a minha avó, mãe de John, que adotou o sobrenome «Uniacke» depois de seu segundo casamento, viveu até o fim da vida na Inglaterra, e morreu quando eu tinha um ano.

Muriel foi uma mulher destemida. Depois de separar-se de seu primeiro marido, Manoel, o pai do meu pai, apaixonou-se por Caryl Uniacke. Lembro de ouvir meu pai contar que, desde que sua mãe se casou pela segunda vez, a dinâmica familiar mudou bastante. Aparentemente, Caryl tinha problemas com a bebida, e meu pai e suas duas irmãs, Corinne e Juana, passaram algum tempo aos cuidados de outros familiares — tios e avós — em pleno despertar da Segunda Guerra. Mas Caryl morreu cedo, em 1951, depois de ter sido pai de Martin, o meio-irmão de John. Depois disso, aparentemente o convívio com a mãe se tornou mais fácil. Mas as histórias da família inglesa são um tanto obscuras para mim, e agora, com meu pai e todos os seus irmãos mortos, parecem ainda mais inacessíveis.

Meu pai nunca falou muito de Muriel, mas mantinha, na parede ao lado da sua mesa de trabalho, dois retratos dela: no primeiro, ela parece ter cerca de trinta anos. Cabelos escuros divididos na lateral, sobrancelhas vultuosas e arqueadas, olhos enormes e boca pequena, num quase sorriso. Na segunda fotografia, Muriel devia ter sessenta anos já completos. O corte de cabelo é o mesmo, mas aqui os fios são prateados e ondulam um pouco mais na lateral superior do rosto. As sobrancelhas perderam algo do volume e os olhos, mais doces, envelheceram e pendem para baixo. O sorriso da madureza é aberto: ela mostra os dentes, que rimam em sua brancura com o colar de pérolas que envolve o pescoço. Em nenhuma das fotografias ela encara a câmera. Na imagem de juventude, as duas íris se colam à extremidade esquerda dos olhos — há certa sensualidade na combinação desse olhar, tão arisco quanto vivaz, com o sorriso ambíguo e discreto. Os olhos da Muriel grisalha, por sua vez, carregam uma ternura manifesta, um senso de realização, e parecem mirar algo que está ligeiramente acima da câmera — talvez o próprio fotógrafo. Quando olho para este retrato, não consigo deixar de pensar em sua morte, cuja qualidade era uma ambição de meu pai: morreu enquanto dormia, e já velha, mas não velha demais — e serena. Não cheguei a conhecê-la.

No poema «Respect for Rooks», Muriel assume o ponto de vista de um camponês de Sussex para fazer um elogio às *rooks*, essas aves que eu adoraria traduzir por «corvos», mas, apesar de serem negras e pertencerem à família dos *Corvidae*, são, na verdade, «gralhas-calvas». Eis a penúltima estrofe do poema, seguida de uma tradução livre:

> *They say whenever a house is sold*
> *And the owners have gone away,*
> *The rooks will forsake the rookery — yes*
> *I respect them in every way.*

> Dizem que quando uma casa é vendida
> E seus donos já foram embora,
> As gralhas abandonam a colônia — sim
> Eu as respeito em todos os sentidos.

Veias

Demorei um tempo para sentir falta da nossa casa. Só quando me instalei definitivamente em um apartamento meu, depois de ter passado meses num espaço provisório, senti o baque: a casa não é mais nossa, nunca mais será. Esse luto estranho me faz perceber uma modalidade da memória à qual nunca tinha dado tanta importância: a memória tátil. Quando me perguntam do que sinto falta na antiga casa, o que me vem imediatamente à cabeça são as memórias do contato com suas mais diversas superfícies — o chão gélido e liso de cimento queimado, que parecia feito de pedra; a aspereza dos tijolos gastos do quintal; a madeira cremosa dos degraus da escada; a pele fria e envernizada dos canos expostos; o tronco crocante das jabuticabeiras.

    Mais do que dos cheiros, me lembro do corpo tangível da casa. Um pouco como me lembro de apertar, quando criança, as veias saltadas das mãos do meu pai.

Exílio

A decisão de exilar John da sua própria casa, num asilo, só foi tomada quando meu irmão e eu submetemos minha mãe a uma espécie de *intervenção*. A investida foi necessária porque, até então, ela se negava mesmo a discutir a possibilidade de internar o meu pai demente, quando já não tínhamos condições físicas e emocionais de mantê-lo em casa.

Quando John voltou de uma extensa cirurgia cardíaca, na sua primeira internação no hospital, já não conseguia ir ao banheiro sozinho (passou a usar fraldas geriátricas), se movia com extrema dificuldade e seus acessos de raiva se agravaram. Os cuidadores que contratamos para tomar conta de suas necessidades básicas eram rápida e furiosamente dispensados por ele, que se indignava com o fato de haver uma pessoa estranha invadindo sua casa e assumindo os cuidados de seu corpo. Dali em diante, todos nós começamos a adoecer juntos, cada um à sua maneira. Minha mãe já havia largado o trabalho, que sempre fora parte crucial de sua vida e que ela exerceu, desde muito cedo, com paixão e excelência. A dedicação que ela devotava a meu pai consumia a maior parte de seu tempo, e foi com uma bravura espantosa que ela conseguiu concluir seu doutorado naquele período, apesar da demanda afetiva e operacional que a doença do meu pai produzia. Meu irmão experimentou um sofrimento profundo e silencioso, sobretudo porque se deu conta de que não teria mais chance de se relacionar de forma cúmplice com nosso pai — coisa que só havia acontecido de forma muito precária ao longo de sua vida de segundo filho. Quanto a mim, mergulhei naquele mal-estar psíquico grave, em que o desespero delirante deu lugar a uma espécie de sequestro do ego.

A internação de John, principalmente para a minha mãe, foi traumática. E não aliviou de uma hora para a outra os outros males da família. Mas, para nós, teve a função de um bote salva-vidas.

Espelho

Quando comparamos as fotografias do meu pai e do meu irmão com a mesma idade, a semelhança entre os dois é impressionante. O semblante sério, o já mencionado queixo partido, o formato do rosto e sobretudo da boca, a cor dos olhos.

Nos primeiros anos da demência, quando John e eu saíamos juntos sem meu irmão, aconteceu algumas vezes de ele reconhecer meu irmão em homens jovens que encontrávamos pelo caminho. «Olha, o Tomás está ali», ele dizia. Eu, naturalmente, acusava o engano, mas ele sempre voltava a cometê-lo.

Hoje me pergunto se essa insistência do meu pai em ver meu irmão na pele de outros jovens não seria, além de uma demonstração de afeto por ele — uma tentativa de preencher sua ausência no nosso passeio —, também um desejo de autopreservação: vendo nos outros jovens o meu irmão, que é tão semelhante ao que ele tinha sido, meu pai procurava recuperar o próprio vigor. De todo modo, a falha da memória (que associa rostos de forma equivocada) opera como uma espécie de resgate. Equivocado ou não, especular ou não, havia ali um gesto de reconhecimento bastante íntimo. O filósofo Paul Ricoeur, no livro *A memória, a história, o esquecimento*, se pergunta: «O esquecimento é mesmo uma disfunção?». Talvez Duchamp tivesse de fato um ponto.

Desconsolo

Em entrevista ao programa da tevê holandesa *O belo e a consolação*, o pensador George Steiner relatou como, ainda criança, ao folhear um livro que elencava uma centena de diferentes escudos das redondezas de Salzburg, se deu conta de que o mundo é feito de pormenores, de «uma enorme soma de detalhes». Diante da constatação, sentiu medo: como alguém pode saber de tudo? Como alguém pode contemplar e conhecer tudo? Como alguém poderá fazer um inventário de tudo o que existe no mundo? Steiner começou, então, a fazer listas: de papas, capitais, oceanos, flores... e aí teve início seu pesadelo de que a lista pudesse estar incompleta, pois assim ele perderia a aposta: é impossível abarcar a totalidade.

Steiner se preocupava com a perda da memória coletiva, com a interrupção de um lastro cultural e histórico que informou (segundo ele, derradeiramente) a sua geração. Mas se preocupava também com a perigosa tensão entre o particular — o «irrepetível» — e o universal. Meu pai nasceu um ano depois de Steiner, e passou a vida tentando esmiuçar aquilo que se apresentava a ele: o organismo dos solos, a estrutura de uma língua nova, os fotorreceptores dos insetos, as múltiplas e surpreendentes utilidades de um mesmo objeto. «As coisas estão no mundo/ só que eu preciso aprender», canta Paulinho da Viola, e me parece que essa ânsia por formação e entendimento era o que mobilizava a existência de John.

Hoje consigo imaginar o desespero de uma pessoa que percebe o avanço de algum tipo de demência minando sua capacidade de abordar e distinguir o mundo. Deve ser assustadora a tentativa de impedir a extinção dos pontos de referência que elegemos como balizas da experiência — dar-se conta de estar perdendo a capacidade de mediação entre o mundo concreto (o referente ou significante) e aquilo que ele arrasta e faz ressoar (um sentido ou significado, que só avultam quando há alguma solidez da cognição e, portanto, da memória).

Two for tango

John nunca gostou de excessos ou adornos desnecessários. Lembro de quando, num impulso, cortei uma franja curta e recebi dele olhares decepcionados.

Num comportamento rígido e condizente com essa economia estética e moral, se recusava a comprar coisas novas antes de tentar — muitas vezes com sucesso — consertá-las em sua oficina equipada com toda sorte de cabos, máquinas de marcenaria, parafusos, chaves de fenda e ferramentas que povoavam aquela bancada robusta de madeira.

Ainda que não demonstrasse as paixões com efusividade, alguns hábitos fiéis deixavam claras as suas preferências. Sua fruta favorita era manga. Sua rádio era a Cultura FM, que toca música erudita e que, como ele gostava de repetir, é a única paulistana que dá os créditos da obra antes e depois da reprodução.

As raras saídas da rotina eram bem pouco radicais: uma tacinha de licor depois do almoço, uma camisa mais colorida, um copo de vinho a mais. Seu calcanhar de aquiles era a música; algumas podiam tirar sua compostura. Ouvíamos música erudita juntos, mas apartados — os nomes e códigos desse universo pertenciam a ele muito mais do que a mim. Mas me lembro das raras ocasiões — ou seria uma só, repetida à exaustão pelo otimismo da memória? — em que ele me tirou para dançar valsa, para me ensinar a dançar valsa. Um, dois, três — um, dois, três — um, dois, três, ele dizia, e às vezes eu subia em seus pés para que ele dançasse por nós.

E as danças a dois também formavam as cenas mais significativas da conexão entre minha mãe e meu pai. Nos dias comuns, não havia entre eles manifestações flagrantes de afeto. Cumprimentavam-se quase sempre com um rápido beijo na boca, mas não havia aquela cadência fluida de carinhos que aprendemos a ter como exemplo de amor autêntico.

Em toda festa, no entanto, os dois dançavam juntos de forma vigorosa, absorvendo-se longamente naquele teste de reatividades, naquele jogo tão cognitivo quanto erótico — e acho que, entre eles, o jogo (o vigor secreto do jogo) sempre foi crucial.

Depois ou antes da dança, nos dias comuns, reinava certo distanciamento, uma austeridade. Mas essa dinâmica distanciada, apesar de enigmática e endurecida, também transmitia um senso de firmeza. Alguma coisa ali era inquestionável e sólida o bastante, ou assim me parecia.

Traços

Abrindo caixas que ainda estavam fechadas desde a mudança, encontro dois objetos que por muito tempo pensei ter perdido: a única carta que meu pai me escreveu, quando eu tinha mais ou menos dez anos; e uma pequena foto dele adolescente.

Toda vez que leio a carta, abro um sorriso. Ela é breve: escrita com caneta vermelha de ponta fina, toma apenas a metade de uma folha de papel A4. É, na verdade, a resposta a uma carta minha. Antes das reuniões de pais do ensino fundamental, deixávamos bilhetes para os pais junto de nosso material escolar. À noite, depois de conversarem com as professoras, pais e mães analisavam nossos cadernos e pastas, onde encontravam também os bilhetes. Era praxe respondê-los, e muitos pais também deixavam balas e chocolates. Lembro vagamente de ter copiado as declarações de amor coloridas e explícitas que minhas amigas deixaram para os progenitores. A frase «eu te amo» nunca fez parte do vocabulário da minha relação com meu pai, então precisei pegar carona na desenvoltura afetiva das minhas colegas para conseguir escrever aquilo que, no fundo, eu também queria dizer. A surpresa que John expressa na sua resposta chega a ser cômica: «Querida Julia. Não sabia que você gostava tanto de mim! Mas fiquei contente de saber». E ele segue: «Então fique sabendo que você é a filha que sempre quis ter. É simpática, inteligente e bonita. Acho que você vai longe. Agora chega de elogios, não acha?».

A parte mais comovente da carta, no entanto, é uma espécie previsão do meu pai, que infelizmente ele não pôde comprovar. Diz: «O que você faz melhor mesmo é escrever. É difícil uma criança da sua idade escrever tão bem. Será que você vai ser escritora ou jornalista...?». Que aspecto da minha escrita despertou nele essa hipótese? Ainda escrevo um pouco como escrevia aos dez anos? E, se sim, cultivei esses traços com mais afinco depois de ter lido o elogio do meu pai?

J. S.

Percebo que minha assinatura se aproxima cada vez mais da assinatura dele. Temos as mesmas iniciais, e principalmente a forma como escrevo a letra J é muito semelhante à de John. Julia de Souza, escrevo repetidas vezes com a caneta azul. Tento forjar a assinatura do meu pai, como chegamos a fazer algumas vezes quando ele já não conseguia escrever. John Manuel de Souza. John de Souza. John.

Pedras

Quase exatamente um ano depois da morte de John, sua irmã, Juana, também morreu. A notícia foi um tanto repentina para mim. Durante os muitos anos de doença do meu pai, acabamos não viajando para a Inglaterra e mantivemos pouco contato com a família inglesa. Juana morreu de uma demência quase fulminante. Em menos de um ano, definhou completamente: parou de andar, de falar e, finalmente, de comer. Ela e meu pai mantiveram uma relação muito próxima, mesmo morando em países distantes. Durante a minha adolescência, eu trocava cartas com ela — Juana era uma espécie de tia confidente. Nunca se casou e levava uma vida extremamente modesta, sempre acompanhada de seus cachorros, desenhando cavalos e caminhando pelos campos com seu cajado.

Resolvi ir para a Inglaterra sozinha dois anos depois da morte de John. Minha prima Hilary me mostrou algumas caixas com os poucos pertences da Juana, e pediu que eu pegasse alguma coisa para mim. Escolhi três pedras — pedras de praia, das terríveis praias inglesas. Ao contrário do meu pai, ela não se adaptou ao calor dos trópicos quando esteve no Brasil. Na última vez que a vi, lembro de ela reclamar inclusive do fresquíssimo verão inglês: «*It's awfully hot today*».

Dez anos antes dessa minha viagem, quando foi visitar a irmã, John se perdeu por horas em um passeio pelos campos. Não conseguia achar o caminho de casa, e foi resgatado por algum morador da região.

A ponta dos dedos

Quando a fala se extinguiu completamente, o corpo de John também mudou. Mexia muito no próprio cabelo, que ainda era farto, e fazia algumas caretas. Mas parecia de alguma forma constrangido por não conseguir se comunicar. Passava muito tempo olhando para baixo, para as próprias mãos que descansavam nas pernas. E então, na falta de uma sintaxe, na impossibilidade de enfileirar palavras numa frase ou de contar até dez, começou a usar os dedos. Criou algumas poucas sequências de movimentos ordenados de conexão e encaixe entre as duas mãos. Por exemplo: voltava as duas palmas abertas uma para a outra e fazia com que a ponta do dedo de uma mão tocasse a ponta do dedo correspondente da outra mão, um de cada vez — mindinho com mindinho, depois anelar com anelar, médio com médio, indicador com indicador e, finalmente, as pontas dos polegares se tocavam. O gesto parecia exigir dele algum esforço, e às vezes eu me perguntava qual afeto o mobilizava: um impulso de criar em seu próprio corpo um pequeno código que o protegesse do caos em volta? Ou uma espécie de resposta às nossas tentativas de comunicação verbal? Uma tentativa de correspondência? De qualquer forma, quando terminava cada pequena coreografia, meu pai não parecia sentir nenhum alívio. E recomeçava.

Banco da praça

Numa tarde de sol, quando John ainda caminhava e falava, saímos para passear na praça em frente à nossa casa. Ele parecia melancólico e confuso. Sentamos em um banco perto do parquinho. Fiz alguma pergunta, e lembro de ele responder, com olhos aflitos: «*I don't know. I want to go back home*». Para mim ficou claro que essa «casa» para onde ele queria voltar era uma casa ambivalente: era a nossa casa, que estava a poucos metros de distância, mas também uma casa fundamental — uma pátria, uma língua materna, um berço.

Navio

Para dar conta de nossas atividades diárias quando meu pai ainda não tinha sido internado, contratamos uma pessoa que, duas ou três vezes por semana, passava algumas horas com ele — a Carol, uma psicóloga e acompanhante terapêutica. Era uma moça bonita e inteligente cuja companhia John aceitou muito rápido. Os dois iam a exposições, lojas, restaurantes e até a concertos, mas muitas vezes ficavam só conversando ou montando quebra-cabeças. Juntos, começaram a preencher um grande caderno onde registrariam, em ordem cronológica, a história de John. Como meu pai já escrevia mal àquela altura, a maior parte das anotações foi feita pela Carol — que também ilustrava os eventos biográficos com canetinhas coloridas.

Meu pai nasceu no dia 2 de outubro de 1930, em Wimborne Minster, no sudoeste da Inglaterra. Na primeira página do caderno, a primeira infância de John é ilustrada por bichinhos de fazenda e folhas verdes. «Meio do mato», diz uma anotação. Há também uma menção ao colégio interno, que meu pai frequentou não sei exatamente com que idade, e ao qual costumava se referir sem nenhuma nostalgia. Mais adiante, na segunda página, lê-se: «Durante a guerra, estavam perto de bombardeios ao sul de Londres./ Caminho de volta para a Alemanha/ Alguns aviões largavam bombas para fugir mais rápido. Fugiram para a casa da tia Eileen em Somerset».

Manoel, o pai do meu pai, que era português, passou o período da Guerra no Brasil, onde tinha parentes, e não conseguiu voltar para a Inglaterra durante o conflito. Quando a guerra terminou, Manoel visitou a Inglaterra e finalmente pôde conviver com os filhos. Não muito tempo depois, em 1947, John e suas duas irmãs resolveram pegar um navio para vir ao Brasil reencontrar o pai. Há uma página inteira do caderno dedicada a essa viagem de navio, que durou quase um mês. Em um dos poucos trechos que foram escritos pelo próprio John, ele conta sobre a viagem:

«Foi uma viagem interessante porque houve uma pane num dos motores do navio e ficamos parados durante uns dez dias enquanto um dos motores a vapor teve que ser consertado. Foi interessante porque estávamos perto do equador e havia muito sol e deu para ficar tomando sol os dez dias em que ficamos parados. Tive um pequeno namoro com uma passageira argentina que tinha muito medo de se engravidar [sic]. Minha irmã Corinne teve um namoro com um capitão do navio. Não me lembro de muito mais, exceto que a gente jogava *racket ball* no deck do navio, que foi divertido. John».

Por muito tempo achei duro ler essa passagem escrita pelo meu pai. A linguagem infantil, as repetições, a inocência com que ele narra um dos momentos mais cruciais da sua vida me provocavam certa pena. Mas hoje, relendo o trecho, senti mais alegria do que compaixão. Me lembro da importância do sol na vida de John, um inglês que, uma vez tendo cruzado a linha do equador, não viu mais sentido em voltar a viver sob o céu nublado da Inglaterra e ficou por aqui. E o «*racket ball*» que eles jogavam no deck do navio foi uma das atividades que nós dois mais praticamos juntos, na praia. Durante esses jogos, meu pai queria me ensinar a forma correta de pegar na raquete, de devolver a bola pela esquerda, de alcançar as bolas baixas, e me desafiava a superar a última contagem, até que finalmente fazíamos uma pausa, exaustos, para um mergulho no mar.

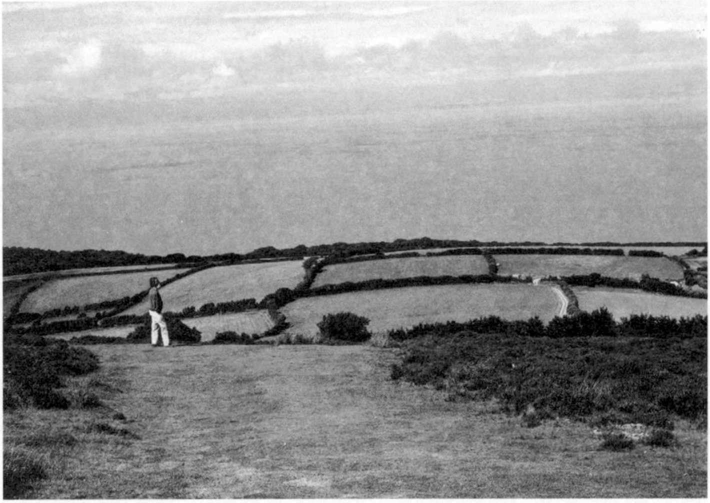

Notas de leitura

A escrita deste livro foi acompanhada e nutrida pela leitura de inúmeros textos, ideias e autores. Entre tantos outros, os que mencionei diretamente estão descritos a seguir:

Roland Barthes em seu *Diário de luto*. São Paulo: Martins Fontes, 2011. Trad. Leyla Perrone-Moisés (p. 12).

O romance *O jardim dos Finzi-Contini*, de Giorgio Bassani. São Paulo: Todavia, 2021. Trad. Maurício Santana Dias (pp. 126, 211).

As ideias de Marcel Duchamp e John Cage em torno do reconhecimento e da memória aparecem no texto «Ars Oblivionalis», que Lewis Hyde publicou na edição de junho de 2019 da *Harper's Magazine*. Eu mesma traduzi os trechos citados.

O personagem «John-Eu-Não-Sou-Daqui», que faz parte, como descobri há pouco tempo, do romance *Milagre no Brasil*, de Augusto Boal. Publicado em Rio de Janeiro: Civilização Brasileira, 1979.

Os versos de William Blake citados neste livro foram traduzidos por Paulo Vizioli em *William Blake — poesia e prosa selecionadas*. São Paulo: J. C. Ismael, editor, 1984 (pp. 17, 27).

A entrevista concedida por George Steiner ao programa de tevê holandês *O belo e a consolação*, que também foi reproduzido em Portugal pela SIC, pode ser assistida no seguinte link: https://www.youtube.com/watch?v=Oear9SEXQKQ&t=647s

Paul Ricoeur em *A memória, a história, o esquecimento*. Campinas: Editora da Unicamp, 2012. Trad. Alain François (p. 426).

Agradecimentos

Aos meus amigos e primeiros leitores atentos Fernanda Morse, Laura Liuzzi, Mariano Marovatto e Rita Mattar. Ao Caio Cardenuto que, antes deste livro, leu as mãos do meu pai. À Sofia Mariutti, amiga de toda a vida e editora deste livro. À minha mãe, Adelia, e ao meu irmão Tomás, que estavam lá e estão aqui.

Índice

- 9   Bolso da camisa
- 11   Identificação
- 13   Hospital I
- 15   Frio
- 17   Ritmo
- 19   Velocidade
- 21   Memória
- 23   Casa
- 25   Tempo
- 27   Hospital II
- 29   Não há conteúdo
- 31   Hospital III
- 33   Latência
- 35   Cabecinha
- 37   Retorno
- 39   Breakfast of champions
- 41   Carimbo
- 43   Torre
- 45   Não me deixe agora
- 47   Trinta e dois dentes
- 49   O que pode esta língua
- 51   Vício
- 53   Pesquisa
- 55   Abelhas
- 57   Textura
- 59   Chumbo
- 61   Todos os insetos
- 63   Língua dormente
- 67   Golpe
- 69   Corpo
- 71   Vésperas
- 73   As gralhas abandonam a colônia
- 77   Veias
- 79   Exílio

81	Espelho
83	Desconsolo
85	Two for tango
87	Traços
89	J.S.
91	Pedras
93	A ponta dos dedos
95	Banco da praça
97	Navio

103	Notas de leitura
105	Agradecimentos

Composto em Studio Pro, tipografia
desenhada por Alberto Moreu.
Belo Horizonte, 2023.